Na, Nel!

I ddarllenwyr direidus ym mhob man

Un tro...

Meleri Wyn James

Diolch o galon i dîm diflino Na, Nel!: John Lund, Meinir Wyn Edwards, Nia Peris, Alan Thomas, Sion Ilar a Fflur Arwel.
I Angharad Sinclair a thîm Diwrnod y Llyfr am eu cefnogaeth.

Argraffiad cyntaf: 2018

Cynllun y clawr: Sion Ilar
Llun y clawr: John Lund

Rhif Llyfr Rhyngwladol: 978 1 78461 549 9

Dymuna'r cyhoeddwyr gydnabod cymorth ariannol Cyngor Llyfrau Cymru

Cyhoeddwyd ac argraffwyd yng Nghymru
ar bapur o goedwigoedd cynaladwy gan
Y Lolfa Cyf., Talybont, Ceredigion SY24 5HE
e-bost ylolfa@ylolfa.com
gwefan www.ylolfa.com
ffôn 01970 832 304
ffacs 01970 832 782

Cynnwys

Ysgol Pen-y-daith
Beth yw'r gwahaniaeth rhwng ceg fawr a llyfr mawr?
Fe allwch chi gau llyfr mawr.

Pennod 1

"Fi, fi, fi!"

Saethodd llaw Nel i fyny i'r awyr fel blodau cennin Pedr yn agor yng nglesni'r gwanwyn.

"Mae'n gyfle i rywun gyflwyno ei ddychymyg byw i lond neuadd o awduron ifanc eraill."

Roedd Miss Morgan yn gwneud ei gorau i fod yn frwdfrydig. Roedd y llythyr lliwgar a ddaeth drwy'r post yn cynnig cyfle gwych i un o'r plant. Roedd yr athrawes wedi bod yn edrych ymlaen i rannu'r cyfle… yn edrych ymlaen tan y funud hon, hynny yw.

"Ie, ie, ie!" Cododd Nel ar ei thraed a dechrau hopian ar un goes, yna'r llall.

"Cyflwyno ei stori i blant Ysgol Llan-neb, chi'n feddwl?" Fel arfer, roedd Gwern yn gwybod popeth.

Rhwbiodd Miss Morgan ei thrwyn llawn brychni haul yn ffyrnig. Siglodd ei gwallt coch, siâp bòb, a dweud,

"A phwy a ŵyr? Efallai y bydd awduron y dyfodol yn eu plith nhw."

"Awduron hysbysebion *fish fingers*... neu newyddion i'r wasg am bants *thermal*." Edrychai Barti o gwmpas y stafell ddosbarth yn flin.

"Fi, fi, fi!" Dawnsiai Nel yn wyllt.

"Dim mwy na chant o eiriau..." gorffennodd Miss Morgan wrth ddarllen manylion y gystadleuaeth ysgrifennu creadigol ar goedd.

"Mae gen i ddychymyg byw a does arna i ddim ofn ei ddefnyddio."

Sifflodd Nel ei hamrannau fel pilipalod a syllu i fyw llygaid yr athrawes ifanc.

Roedd Miss Morgan wedi ei dal gan edrychiad Nel. Ond syllai'r athrawes yn ôl yn ansicr ar ei disgybl bywiog.

"Dwi'n siŵr dy fod ti'n llawn straeon, Nel, ond bydd gofyn i rywun sgrifennu stori newydd fel gwaith cartref… gwaith ychwanegol… ac yna ei darllen o flaen staff a disgyblion ysgol arall yn y gystadleuaeth 'Cant Cyflym' ddydd Sadwrn nesaf. Ildio eu dydd Sadwrn er mwyn cystadlu… Beth amdanat ti, Siw? Mae'n siŵr bod yna sawl stori yn llechu yn y corff creadigol yna."

"O, sai'n gwybod ydw i'n ddigon

da..." Cwympodd pen Siw fel petai'n gwywo.

"Wrth gwrs dy fod ti'n ddigon da. Ddylet ti ddim meddwl fel'na amdanat ti dy hun."

"Dwi'n ddigon da! Dwi'n fwy na digon da." Dawnsiai a gwingai Nel fel gwreichionen.

"Dwi'n siŵr, Nel... a beth amdanat ti, Gwern? Fe wnes i fwynhau'r gerdd 'Popeth dwi'n ei wybod' sgrifennaist ti."

"Ie, dwi'n gweld fy hun fel bardd, yn hytrach na rhyddieithwr. Mwy o Aneirin a Taliesin na Bethan Gwanas, er mor ddawnus yw hi."

Swniai Gwern yn ddieithr, fel petai wedi benthyg llais un o'r hen feirdd.

"Ie, ie, ie. Fi, fi, fi!" gwaeddodd Nel yn uwch na phawb.

“Unrhyw un…” Roedd Miss Morgan yn gwneud ei gorau i dalu sylw i bob plentyn.

“Fi, fi, fi!”

“Ar wahân i Nel?” gofynnodd, ac edrych unwaith eto o’r rhes flaen i’r rhes gefn, gan dalu sylw arbennig i Lliwen Llyfrau. Cyrliai honno ei phleth dde o gwmpas ei bys.

Roedd hi’n dawel yn y dosbarth a daliodd yr athrawes ei hanadl, yna’i ollwng.

“Olreit ’te… Ie, Nel.”

“Ie!” Pwniodd Nel ei hofnau o’r golwg.

Swniai Miss Morgan wedi blino. “Fe fyddi di’n cael dewis pump o ffrindiau i fynd gyda ti. Ac fe ddylai

RHAI o'r rheina fod yn fechgyn, Nel."

Eisteddodd yr athrawes a gwrando ar y plant yn pryfocio a phoeni. Oedd hi bron yn amser egwyl, dwedwch?

"Sosej, bins, tsips.
Sosej, bins, tsips.
Sosej, bins, tsips.
Ti'n mynd ar fy pips…
Ti, Cai, fydd dim lle i ti ar y daith ddychymyg ddydd Sadwrn."

"O!"

"O, wel, Cai…" Crymodd Nel ei hysgwyddau a gwenu ar Ceri. "'Nôl â chi i'r llinell. Ymlaen â'r broses ddethol."

"Fydda i ddim yn gallu dod," meddai Ceri. "Dwi'n mynd i weld sioe yng Nghaerdydd gyda Mam."

"Cofia beth ddwedodd Miss Morgan, Nel." Camodd Barti o'r llinell. Cochai'r corryn bach yn grac.

"Beth ddwedodd Miss Morgan?" Edrychai Nel fan hyn a fan draw.

"Mae'n RHAID i ti ddewis RHAI bechgyn."

"Mae'r gân yn dethol y detholion. Mae'n broses gyfiawn a theg."

"Sosej, bins, tsips.
Sosej, bins, tsips.
Sosej, bins, tsips.
Ti'n mynd ar fy pips…
Sori, Ganesh."

"Hy!" Grwgnachodd Barti yn uwch na Ganesh, ei ffrind yn y tîm hoci.

"Beth yw dy syniad di am stori 'te, Nel?" Roedd Gwern eisiau gwybod popeth.

"Sdim syniad 'da fi! Sdim syniad 'da fi beth yw fy syniad i!" Gwenodd Nel fel peth dwl.

Roedd hi'n cerdded ar y cymylau ers iddi gael ei dewis i gynrychioli'r ysgol. Doedd y ffaith nad oedd ganddi stori i'w rhannu ddydd Sadwrn yn mennu dim ar ei hwyliau da.

"Nag oes?"

"Nag oes. Ddim eto."

"Efallai y dylet ti adael i Siw gael cyfle. Mae ganddi hi ddychymyg byw iawn."

"Mae gen i ddychymyg byw iawn hefyd."

"Beth wyt ti'n mynd i'w wneud 'te,

Nel?" gofynnodd Cai Cwestiwn.

Crymodd Nel ei hysgwyddau yn ddi-hid.

"Ond rwyt ti wedi cael dy ddewis i gynrychioli Ysgol Pen-y-daith… o flaen plant ysgol arall."

"Fe fydd rhaid i fi ffeindio stori, 'na i gyd. Ie. Fe fydd yn rhaid i fi wneud beth roedd pob awdur, pob clerwr yn arfer ei wneud yn yr hen Gymru – mynd allan i'r byd i chwilio am stori…"

Mae Nel yn cerdded i mewn i'r llyfrgell.

Nel: Ga i sglods a chod, plis?

Llyfrgellydd: Ond llyfrgell yw hon.

Nel: (Yn sibrwd) Ga i sglods a chod, plis?

Pennod 2

Un tro...

Roedd Nel wedi dechrau'n dda. Roedd hi wedi mynd yn syth ati ar ôl mynd adref, ac yfed sgwosh i danio'r dychymyg a bwyta bisgïen siocled i roi egni iddi lunio cant o eiriau. Yna roedd hi wedi eistedd o flaen y teledu yn chwilio am ysbrydoliaeth. Gorffennodd y fisgïen a'r sgwosh ac ar ôl rhyw awr diflasodd Nel ar y teledu. Ciciodd ei thraed a chodi i fynd i wneud brechdan fratiog iddi hi ei hun, ac yna i chwilio am rywbeth i'w wneud.

"Ga i fynd mas i chwarae?" gofynnodd i'w mam wrth i honno

bori drwy fywydau ei ffrindiau ar Facebook.

"Mas? Amser hyn? Na, Nel! Na chei, wir."

"Pam? Pam-ham?" Aeth Nel at ei mam, rhoi ei hwyneb yn agos agos at ei hwyneb hi a syllu arni gyda llygaid mawr.

"Mae'n arllwys y glaw, 'na pam." Gwingodd Mam yn ei hôl.

"Mae gen i got. Dwi angen mynd mas i chwilio am stori."

"Mynd MAS i chwilio am stori? Bydd hi'n tywyllu chwap."

Canodd cloch y drws. Deffrodd ei mam a chau'r laptop yn glep.

"Bev sydd yna, wedi dod am baned. Whishgit! Cer i chwilio am stori mewn llyfr yn y stafell chwarae."

Edrychodd Nel ar y papur. Roedd llinellau taclus ar ei hyd. Roedd yn arwain y dychymyg at…

- edau tyn yn sychu;
- bren mesur;
- linell derfyn ras;
- ffon licris;
- linyn stori.

"Sai'n gallu meddwl am DDIM BYD!" lleisiodd Nel yn uchel.

Gwrandawodd ar ei bola gwag yn gwneud sŵn. Roedd e'n ffrwtian yn swnllyd fel sosban yn llawn cawl, yn poeri a thasgu.

A oedd Miss Morgan yn iawn? A ddylai hi fod wedi rhoi'r cyfle i rywun arall?

Gafaelodd yn y papur a'i lusgo

tuag ati. Gallai weld brechdan felys yng nghornel ei llygad. Plygodd y papur yn ei hanner ar ei hyd. Yna agorodd y papur yn fflat a phlygu dau gornel top y papur tua'r canol. Yna plygodd bob hanner yn ôl tua'r canol. Yna plygodd yn ei hanner eto, a phlygu bob ochr yn ôl i greu dwy adain. Saethodd drwyn yr awyren i fyny a'i gwylio'n plymio'n syth i'r llawr.

Aeth o gwmpas y tŷ fel ditectif, yn chwilio am stori. Roedd hi'n gwybod ei bod hi'n agosáu at stafell Twm cyn iddi gyrraedd y drws. Roedd yr oglau drwg yn dod i gwrdd â hi. Oglau sgidiau pêl-droed mwdlyd oedd wedi bod mewn bag plastig... Ciciodd y drws ar agor a dal ei thrwyn. Roedd haen o ddwst ar bob dim. Fan hyn a fan draw roedd yna gwpanau â llwydni ar eu gwaelod, papurach wedi'u rhacsio'n rhubanau, ac roedd y llawr yn bentwr o drôns a sanau. Roedd hyd yn oed yn fwy blêr na'i stafell hi! Chwaraeodd Nel gêm o gicio gyda'r dillad brwnt a blino ar yr annibendod.

Ar ei ffordd yn ôl i'w stafell ei hun, clywodd leisiau Mam a'i ffrind, Bev. Fel arfer, fyddai hi ddim yn trafferthu gwrando ar sgwrs ddiflas oedolion. Ond fe ddaliwyd ei sylw pan glywodd ei henw. Roedden nhw'n siarad amdani hi. Stopiodd Nel i wrando.

Roedd hi wrth ei bodd yn clywed ffrindiau Mam yn ebychu mewn sioc wrth glywed am ei hanturiaethau diweddaraf.

"Sut mae Nel yn dod 'mlaen gyda Miss Morgan 'te?"

"Iawn, dwi'n credu. Ti'n gwybod sut un yw Nel. Mae 'dim newydd' yn newydd da, ys dywedai'r Sais."

"Dychmyga! Llond dosbarth o Nels... Sai'n meddwl hynny'n gas, ond roedd Anwen Morgan yn swil fel llygoden fach pan ddechreuodd hi ddysgu. Ro'n i'n teimlo trueni drosti'r diwrnod yna..."

"Pa ddiwrnod? Mwy o goffi?"

"Sai wedi dweud wrthot ti?" chwarddodd Bev. "Ie plis... Pan ddangosodd hi ei nicers i'r dosbarth i gyd?"

"Beth? Naddo! Beth ddigwyddodd?"

"Ocê 'te, ond mae'n rhaid i ti addo peidio â dweud gair wrth Nel."

Symudodd Nel ymlaen at y laptop a gwenu. Edrychai'r sgrin fel ffenest a cheisiodd Nel ddychmygu ei hun yn edrych trwy'r gwydr ac yn gweld golygfa fach o'i blaen. Yn sydyn, fe allai glywed lleisiau… dau lais… dwy ddynes. Roedd y lleisiau'n gyfarwydd. Cnodd ddarn mawr o'r frechdan menyn cnau mwnci, jam a mêl gan friwio'r bara melys rhwng ei dannedd a'i sugno o gwmpas ei cheg. Wrth iddi wneud, fe allai glywed y lleisiau yn uwch ac yn uwch a dechreuodd deipio'r geiriau ar y cyfrifiadur, tap-tap, un llythyren ar y tro.

Un tro...

Roedd Miss Morris, yr athrawes ifanc, o flaen ei dosbarth newydd. Roedd hi eisiau deffro'r dosbarth. Deffro'r corff, deffro'r meddwl.

"Estynnwch eich breichiau i fyny. Breichiau i lawr. Siglwch eich corff i gyd."

Wrth iddi symud, saethodd enfys amryliw ar lawr wrth draed Miss.

"Beth yw hwnna?" gofynnodd merch ddeallus o'r enw Del.

Gwridodd Miss yn goch fel ei gwallt.

"Ai nicers ydyn nhw?" chwarddodd Del, a gwneud i lond dosbarth chwerthin.

Cydiodd Miss yn y nicers a'u rhoi yn ei phoced.

"Hances," atebodd.

Byddai'n rhaid didoli'r dillad yn fwy gofalus wrth eu tynnu o'r peiriant sychu y tro nesaf.

"Wel, beth wyt ti'n feddwl o'r stori?"

Ar yr iard, edrychai Mair ar ei ffrind yn gegrwth. Ni allai guddio ei syndod.

"Na, Nel!" meddai Mair. "Alli di ddim rhannu'r stori yna!"

"Pam?" gofynnodd Nel gan roi ei bys i fyny ei thrwyn a'i droi o gwmpas sawl gwaith.

"Achos… achos… Wel, ble gest ti syniad fel'na?" Siglodd Mair len ei gwallt melyn hir.

"O, ti'mod…" fflwffiodd Nel o gwmpas ei ffrind. "Dyfnderoedd fy nychymyg byw. Dyw straeon ddim i fod yn wir, nagy'n nhw?"

"Beth fydd Miss Morgan yn ei ddweud?"

"Dwi'n siŵr y bydd hi'n falch iawn ohona i."

"Yn falch iawn dy fod ti'n dweud stori am athrawes ifanc gringoch o'r enw 'Miss Mor-ris' yn gwneud ffŵl ohoni ei hun o flaen y dosbarth? Yn colli ei… ei… ei…"

"Ei nicers."

"Olreit, Nel. Shwsh!"

"Mae'r pethau 'ma YN digwydd, Mair. Roedd Bev, ffrind Mam, wedi gwneud ymarfer dysgu yn y coleg gyda Miss Morgan, ti'mod."

"Nel?"

"Mmm…"

"Nel, ydy hon yn stori wir? A wnaeth Miss Morgan golli ei nicers o flaen dosbarth ar ymarfer dysgu? Dwi'n iawn, on'd ydw i? Mae hon yn stori wir. Mae straeon gorau'r byd yn seiliedig ar ddigwyddiadau go iawn."

"Un o straeon gorau'r byd? Diolch, Mair. Hyd yn oed mwy o reswm i fi ei rhannu hi. Efallai y bydd hi'n cael ei rhannu ar y we rhyw ddydd." Gwenodd Nel lond ei hwyneb.

"Ar y we, ocê. Ond gobeithio fydd y stori ddim ym mhapur bro *Busnes*, neu bydd PAWB yn ei gweld hi."

I ddathlu dod o hyd i stori, aeth Nel ddim i'r gwely tan yn hwyr iawn, iawn. Gwyliodd raglen deledu realiti am bobol ddieithr yn byw dan yr un to. Roedden nhw'n dechrau yn ffrindiau, yna'n cwympo mas. Cafodd Mister Fflwff yn gwmni, a phecyn mawr o bopcorn wedi ei flasu â siwgr. Roedd hi'n methu'n deg â chysgu, ac felly roedd hi'n methu'n deg â dihuno pan ddaeth y bore.

"Ble yn y byd wyt ti wedi bod?" gofynnodd Miss Morgan pan gyrhaeddodd Nel y bws mini drwy'r tywydd garw. Roedd hi wedi bod yn chwythu'n filain ers oriau mân y bore. Ond nawr roedd hi wedi oeri'n sydyn ac wedi dechrau pluo eira.

"Yn chwilio am stori... Ond peidiwch â phoeni, Miss. Dwi wedi ffeindio cracer o stori dda. Bydd pawb wrth eu boddau yn ei chlywed hi unwaith i ni gyrraedd Llan-neb."

"Ie, dyna'r broblem. Rydyn ni angen mynd i Lan-neb ar hyd heolydd yr A487 a'r B4337, a'r rheini'n troi o lwyd i wyn, fel gwallt Dad-cu... Efallai y byddai'n gallach gadael pethau am heddiw."

Rhewodd Nel yn ei hunfan a gwichian yn uchel,

"Ond dwi wedi cael fy newis! Dwi byth yn cael fy newis!"

"Fe gest ti dy ddewis ar gyfer etholiad yr ysgol..." Roedd Gwern yn gwylio'r eira'n tewhau o ffenest y bws.

"Roedd hynny'n fater hollol, hollol wahanol. Mae hyn yn gyfle i fi rannu fy nychymyg – fe fydd awdur go iawn yno i glywed fy stori."

Stopiodd Miss Morgan yn stond. Trodd at y gyrrwr – dynes ffeind iawn yn ei deugeiniau o'r enw Gladys.

"Beth ydych chi'n feddwl, Gladys?"

Edrychodd y gyrrwr ar y darnau arian y tu allan i'r ffenest yn disgyn yn ddi-stop.

"Dwi'n fodlon mentro… ond os bydd pethau'n gwaethygu, fe fydd yn rhaid i ni droi 'nôl."

"Cŵl!" ebychodd Nel, a bloeddiodd y plant eraill. Siw Bw-Hw oedd yr unig un a edrychai'n betrus. Roedd hyd yn oed Dyta wedi ei chyffroi.

Refiodd Gladys yr injan a gwasgu ei throed yn drwm ar y sbardun yn llawn antur. Fe ddechreuon nhw ar eu ffordd. Roedd y bws yn symud yn gymhedrol. Bob hyn a hyn byddai'n dod i stop yn sydyn wrth i'r gyrrwr ofni bod angen arafu. Yna, fe fyddai pawb yn dal eu hanadl yn uchel…

pawb ond Nel. Fe fyddai'r stopio sydyn yn gwneud i'w chalon guro'n gyflymach, ac fe fyddai hi wrth ei bodd â hynny. Wrth droi oddi ar y brif ffordd am yr heolydd cefn cul a throellog roedd Miss Morgan eisoes yn difaru rhoi cynnig ar y daith o gwbwl.

"Ydy'r ffordd wedi cael ei thrin?" gofynnodd i'r gyrrwr.

Crymodd Gladys ei hysgwyddau'n ansicr.

"Fyddai hi'n help petaen ni'n canu, Miss?" gofynnodd Nel. Cyn aros am ateb, arweiniodd ei ffrindiau mewn corws aflafar.

"Dau gi bach yn mynd i'r coed,
Esgid newydd am bob troed,
Dau gi bach yn dŵad adre
Wedi colli un o'u sgidie.

Bing, bong, bing bong be;
Bing, bong, bing bong be;
Bing, bong, bing bong be;
Bing, bong, bi—"

Yn sydyn, stopiodd y bws a sgrialu ar hyd y ffordd. Wwwwwshsh! Sglefrio ar ei hyd fel Torvill a Dean mas o reolaeth. Wysg eu tinau nes cyrraedd y goeden. Bang! Tarodd y cerbyd yn erbyn y boncyff. Bownsiodd pawb yn ôl yn eu seddau ac ebychu'n uchel. Wow!

Roedd Gwern yn gwybod gormod a dechreuodd grynu, gan guddio ei wallt crin o dan ei het. Roedd Siw Bw-Hw yn ei dagrau. Tasgodd Nel ar ei thraed.

"Roedd hynna'n rhyfeddol!"

"Ydy pawb yn iawn?" gofynnodd Miss Morgan, gan gymryd yr

awenau oddi ar Nel. Aeth ati i wneud yn siŵr bod pob un yn ddiogel, ac ar ôl hynny fe reolodd y sefyllfa. Doedd dim signal ffôn ganddi hi na'r gyrrwr. Penderfynodd y byddai'n rhaid bod yn ddewr.

"Ry'n ni bron â bod yno. Fe allen ni gerdded gweddill y ffordd... neu aros fan hyn a rhewi," meddai Miss Morgan yn ddramatig.

"Aros gyda'r cerbyd, dyna'r peth gorau." Roedd Gladys yn bendant ei barn.

"Dwi ddim yn meddwl y byddai'r rhwyfwraig Elin Haf Davies o'r Bala yn oedi. Fe fyddai hi'n mentro ar y daith. Mae unrhyw beth yn bosib. Ces i fy ethol yn Brif Weinidog, cofiwch," meddai Nel.

Roedd Miss Morgan wedi

gwrando ar Nel unwaith yn barod heddiw. Fe fyddai hi gartref yn glyd pe na bai wedi gwrando ar Nel a chymryd siawns yn y tywydd garw. Ond doedd hi ddim eisiau i'r plant golli cyfle chwaith.

Gyda chaniatâd Miss Morgan, camodd Nel allan o'r bws a theimlo ei throed yn llithro oddi wrthi ar y llawr llithrig.

"Dewch!" galwodd ar ei ffrindiau. "Fydd e ddim yn bell. Llai nag ychydig o weithiau o gwmpas y cae chwarae. Dydyn ni ddim eisie colli'r cyfle i rannu ein stori gyda phobol eraill."

Swniai ei llais yn gadarn, yn syndod o sefydlog. Ond roedd ei chalon yn curo'n ysgafn yn ei brest. Oedd hi'n gwneud y peth iawn yn mentro allan o bedair wal y cerbyd? Yna cofiodd fod Elin Haf Davies yn 30 oed cyn mynd ar y môr am y tro cyntaf. Ers hynny, roedd hi wedi treulio 30 diwrnod yn hwylio ac wedi teithio 6,000 o filltiroedd ar y dŵr – a dim ond un o'i theithiau anhygoel oedd hynny!

Roedd llenorion Cymru yn arfer mynd ar daith o le i le ym mhob tywydd, yn ennill arian trwy adrodd straeon a cherddi roedden nhw wedi eu sgrifennu, yn cofnodi bywydau pobol a chreaduriaid roedden nhw'n cwrdd â nhw ar eu siwrneiau – pobol o gig a gwaed, anifeiliaid a thylwyth teg…

Pennod 3

Symudodd Nel yn araf bach ar hyd y ffordd. Sifflo a llusgo ei thraed, fwy neu lai. Roedd hi'n falch ei bod hi'n gwisgo treinyrs. Fe allai fod yn waeth. Ond, yn ddelfrydol, roedd hi angen sgidiau cerdded. Weithiau fe deimlai ei hun yn llithro ar hyd y llwybr, ac fe fyddai'n gafael yn dynn mewn ffrind bob hyn a hyn. Roedd hi'n syndod mor flinedig oedd cerdded yn yr oerfel. Fel petai'r egni i gyd yn mynd i gadw'r corff yn gynnes.

Ar ôl hanner awr fe deimlai fel petaen nhw wedi bod yn cerdded ers awr. Ond doedd dim golwg o oleuadau'r dref. Yn hytrach, roedd y ffordd wedi culhau ac yn ymestyn yn neidr denau a throellog o'u blaenau. Bob ochr, tyfai'r coed yn uchel, uchel uwch eu pennau, gan wneud i'w pennau droelli wrth iddyn nhw syllu i fyny. O leiaf roedd ganddi'r ffôn, meddyliodd. Ond pan estynnodd am y ffôn bach i gadw llygad ar yr amser fe sylwodd fod y bariau signal i gyd wedi diflannu a doedd dim modd cysylltu ag unrhyw un.

"Pawb yn iawn?" gofynnodd, heb gyfadde beth roedd hi newydd ei sylweddoli. "Cadw i fynd, dyna'r peth gorau. Un cam ar y tro."

"Y peth gorau fyddai aros ar y bws..." Swniai Gwern bron mor flin â'i ffrind, Barti.

"Neu aros adre..." Roedd llais Siw yn wan iawn.

"A cholli'r cyfle i glywed fy llais yn adrodd y stori?" Symudodd Nel un cam bach ar y tro, fel anturwyr yn yr Arctig… ond heb yr offer angenrheidiol, wrth gwrs.

"Fe fyddai rhai'n dweud ein bod ni'n cael digon o gyfle i glywed dy lais di," atebodd Barti.

"Beth ddwedest ti, y corryn bach blin?" Stopiodd Nel ac wynebu ei gelyn.

"Dweud y gwir, 'na i gyd." Safodd ei gelyn yn dal.

"Dyna ddigon, chi'ch dau. Cadwch eich egni ar gyfer y gystadleuaeth." Camodd Miss Morgan ymlaen.

"Ac ar gyfer y daith

hir, hir o'n blaenau ni – dim diolch i ti, Nel."

"Beth yw'r sŵn yna?" Torrodd llais Mair ar y cecru. Crynodd a thynnu ei chot yn dynnach amdani.

"Mae'n swnio fel ci yn udo," sibrydodd Dyta.

"Blaidd yn bloeddio…" Roedd Nel wrth ei bodd.

"Blaidd? Yng nghanol cefn gwlad Cymru?" Roedd Gwern yn gwybod na allai hynny fod yn wir.

"Mi oedd yna fleiddiaid yng nghefn gwlad yr hen Gymru," meddai Miss Morgan yn llawn bywyd. "Roedd y Cymry a'r bleiddiaid yn arfer bod yn ffrindiau."

"Blaidd yn ffrind? Cŵl!" Gwenodd Barti am y tro cyntaf ers awr.

"Ie, roedd y blaidd yn greadur cryf, yn anifail y gallai pobol ymddiried ynddo fe…" Roedd hi'n braf i Miss Morgan gael rhannu stori y tu allan i'r stafell ddosbarth. "Roedd y blaidd yn seren mewn hen storïau ac roedd y Cymry yn galw eu meibion yn Bleddyn, ar ôl yr anifail. Dim ond yn ddiweddarach yr aeth e'n flaidd mawr cas."

"Fel yn stori Gelert," nodiodd Nel.

"A chi'n cofio beth ddigwyddodd i hwnnw – cael ei ddarnio'n fyw!" Fflachiodd Barti ei ddannedd.

Chwarddodd Nel yn gas, "Mae straeon yn newid wrth fynd o geg i geg ac o genhedlaeth i genhedlaeth, on'd ydyn nhw, Miss?"

Yn sydyn, roedd dau dortsh yng

nghanol y niwl gwyn o'u blaenau.
Aeth pawb yn dawel… ond am un.
"Helô, Mister Blaidd," meddai Nel.

Epilog

Un tro...

Roedd yna ferch llawn dychymyg oedd eisiau rhannu ei llais gyda phobol eraill.

Fe sbonciodd ar gerbyd a mentro ar hyd y ffordd.

Chwythodd gwynt fel corn hirlas...

Ac eira fel curiadau drwm...

Daeth y cerbyd i stop.

Ond cerddodd y criw anturus ymlaen. Aeth pob man yn dywyll heblaw am olau dau dortsh yn y pellter.

Dwy lygad. Un blaidd.

Daliodd y ferch ei thir. Estynnodd ei phibau o'r bag ar ei chefn a'u chwarae i'w hudo. Tawelodd y blaidd. Arweiniodd y ferch ddewr y criw nes cyrraedd goleuadau'r dref.

Yno, rhannodd hi ei stori gyda'r byd i gyd...

"Da iawn, Nel!"

Fflachiodd y llygaid bach direidus wrth i Nel glywed y geiriau yn ei chanmol. Ie, geiriau yn ei chanmol hi am ei stori ysbrydoledig! Roedd hi fel yr hen Gymry, yr hen glerwyr, yn mynd allan i ffeindio storïau ac yn eu rhannu gyda phobol eraill.

"Wnest ti'r peth iawn, Nel, yn rhannu'r stori newydd." Roedd Mair yn dal i gofio am Miss Morgan a sbonc ei nicers.

"Ocê," meddai Barti. "Dwi 'di clywed straeon gwaeth."

Roedd Nel ar fin ei ateb trwy ddweud bod ei storïau ef yn waeth, pan agorodd drws y neuadd a daeth gwth o wynt ac un o rieni'r ysgol arall i mewn, yn ffws i gyd.

"Wel, wel, Ysgol Pen-y-daith!

Lwcus i chi gyrraedd yn ddiogel. Mae'n debyg bod yna flaidd ar goll o warchodfa natur leol. Y tywydd garw 'ma wedi difrodi ffens. Fydden i ddim yn lico meddwl amdanoch chi'n dod ar draws creadur cythreulig fel hwnnw…"

"O!" ebychodd Nel yn uchel. "Anghofiais i sôn, mae gen i syrpréis gefn llwyfan…"

Wrth i Nel ddiflannu, trodd Miss Morgan at ei chriw.

"Mair, oedd Nel a ti'n cydgerdded?"

Crymodd Mair ei hysgwyddau.

Pan ddaeth Nel yn ei hôl, roedd hi'n tynnu ar sgarff wlân hir. Gwenodd Nel, a'i llygaid drygionus yn disgleirio.

"O ble mae awdur fel fi'n cael

ysbrydoliaeth? Wel, dwi'n falch i chi ofyn i fi. Dwi'n gweithio'n debyg iawn i'r hen Gymry, yr hen glerwyr. Felly, dyma ni… ffrwyth fy nychymyg… Dyma Bleddyn… Bleddyn y blaidd!"

Roedd y neuadd yn llawn dop y pnawn hwnnw. Ond roedd hyd yn oed Nel yn synnu at yr ymateb i'w hantur ddiweddaraf. Fe drodd y dyrfa yn un llais a bytheirio,

"NA, NEL!"

Fi – yr awdur disglair!

Yn y dyfodol fe fydda i'n...

* creu storïau fy hun – cŵl!
* defnyddio fy nychymyg byw yn ddi-stop!
* cael amser i glirio lle ar y silff i fy llyfrau i gyd.
* rhannu fy syniadau gyda phobol eraill – a chael fy nhalu.
* ymarfer fy llofnod.
* darllen a darllen. Wel, doedd deinosoriaid ddim yn darllen ac edrycha beth ddigwyddodd iddyn nhw! Wedi darfod o'r tir – ta-ta, amen!

Nofel Nel

Nofel Nel

'Anhygoel!'

J K Rowland